G000143788

Les animaux de Lou

Ne pleure plus, Petit Roux !

premières lectures

...pour les enfants qui apprennent à lire

Le texte à lire dans les bulles est conçu pour l'apprenti lecteur. Il respecte les apprentissages du programme de CP :

le niveau **JE DÉCHIFFRE** correspond aux acquis de septembre à novembre ;

le niveau **JE COMMENCE À LIRE** correspond aux acquis de novembre à mars ;

le niveau **JE LIS COMME UN GRAND** correspond aux acquis de mars à juin.

Cette histoire a été testée à deux voix par Francine Euli, enseignante, et des enfants de CP.

Cet ouvrage est un niveau JE COMMENCE À LIRE.

Loi n° 49-956 du 16 juillet 1949 sur les publications destinées à la jeunesse, modifiée par la loi n° 2011-525 du 17 mai 2011.
ISBN : 978-2-09-202302-0
N° éditeur : 10211580 - Dépôt légal : juin 2010
Imprimé en janvier 2015 par Pollina, 85400 Luçon (France) - L70270b

Ne pleure plus, Petit Roux !

Texte de Mymi Doinet

Illustré par Mélanie Allag

La maison de Lou est un vrai refuge pour animaux. On y trouve Réglisse, une brave chienne labrador, et Macaron, un chat à l'oreille cassée.

Lou les a trouvés abandonnés sur la route. Réglisse et Macaron adorent leur nouvelle maîtresse :

Et puis, il y a Pompon, le poisson rouge.
Lui, Lou l'a sauvé du caniveau !

Pompon n'est pas bavard. Mais Lou a un super pouvoir: elle comprend le langage des animaux!

Ce matin, Lou et Réglisse
se promènent dans la forêt.

Soudain, Lou entend des petits cris dans un buisson. C'est un renardeau ! Tout tremblant, il pleure :

Lou enveloppe le bébé renard avec son gilet, et elle le dépose dans son panier comme dans un minicouffin.

Ne pleure plus,
Petit Roux,
je vais t'adopter !

De retour chez elle, Lou
prépare un biberon.

Le renardeau boude la tétine.

Il est sûrement malade !

À minuit, très inquiète de ne plus voir Petit Roux, Lou se lève sans bruit.

Quelle surprise ! Le renardeau a rejoint les quatre chiots que Réglisse vient d'avoir. Il tète avec les gloutons.

Lou chuchote :

Grâce au lait de Réglisse, Petit Roux grandit. Mais c'est bizarre : il dort quand tout le monde se lève !

Parfois, il fait même la sieste dans la machine à laver, son nouveau terrier !

La maman de Lou rouspète :
Sors de là, tu n'es pas une chaussette !

Le lendemain, Petit Roux ronfle
dans la corbeille de fruits.
Tout à coup, une sauterelle entre
dans la cuisine. Le renardeau saute
pour l'attraper. Boum ! il renverse
les bols, les céréales roulent par terre
et le pot de confiture dégouline.

Le papa de Lou
est en colère :
Ça suffit !
CEREALES

Puis Petit Roux prend un virage dans le salon. Bing ! il fait tomber le bocal sous la télé. Le renardeau se pourlèche les babines.
Lou accourt.

Catastrophe ! Petit Roux a fait
trois crottes sur la moquette.
Stop, ça suffit les bêtises !
Il faut dresser le petit renard.

Lou veut lui faire faire le beau :

Mais, Petit Roux n'obéit pas comme Réglisse, impossible de lui apprendre les bonnes manières !

Il chipe un collier de saucisses
dans le frigo entrouvert !

Un après-midi, Lou veut faire un câlin à Petit Roux. Zut! le filou a filé s’allonger sur une meule de foin.

Lou monte dans sa chambre rejoindre Réglisse et Macaron, et elle soupire en les caressant :

Petit Roux préfère la paille à mes coussins !

Cette nuit, Petit Roux n'est pas rentré à la maison. Au bord du bois rempli de vers luisants, Lou le cherche, suivie de Réglisse, ses chiots et Macaron. Même si elle a le cœur triste, Lou se dit :

Petit Roux est
un animal sauvage,
il lui faut
sa grande forêt !

Les semaines passent.
Un soir, Lou entend japper
dans les buissons.
C'est Petit Roux !
Au clair de lune, il gambade
avec une jeune renarde.
Cette fois-ci, Lou en est
sûre : Petit Roux
est heureux !

Merci Lou,
tu m’as sauvé
la vie !

Lou te dit tout sur le renard

Cousin du chien

Le renard fait partie de la famille du chien et du loup.
Il a 42 dents, 10 de plus que toi quand tu seras grand et il peut entendre un ver de terre bouger sous le sol.

La famille s'agrandit

Au printemps, la renarde donne naissance à 3 à 7 renardeaux au pelage chocolat.
Ils tètent pendant un mois.
Puis, ils goûtent aux boulettes de viande mâchées par leur maman.

Un petit poids

À la naissance, le renardeau pèse 100 grammes, le poids d'une pomme. Adulte, avec ses 6 à 7 kilos, il sera à peine plus grand qu'un gros chat.

Renards des champs et des villes

Les renards vivent aussi bien dans les bois, à la campagne, en ville, à la montagne et même au bord de la mer. Il se lève quand tu te couches. Le renard s'active à la belle étoile, et il va se reposer dès le lever du soleil.

Un menu très varié

Le renard mange beaucoup de petits rongeurs, des insectes, des grenouilles. Parfois, il pêche des poissons et il croque des champignons ou des mûres.

premières lectures

À la rentrée de septembre, les enfants de CP entrent doucement en lecture. Afin de les accompagner dans cette découverte et d'encourager leur plaisir de lire, Nathan Jeunesse propose la collection **Premières lectures**.

Cette collection est idéale pour une **lecture à deux voix,** prolongeant ainsi le rituel de l'histoire du soir. Chaque ouvrage est écrit avec des **bulles**, très simples, que l'enfant peut lire car les sons et les mots sont adaptés aux compétences acquises au cours de l'année de CP, et qui lui permettent de se glisser dans la peau du personnage. Par ailleurs, un «lecteur complice» peut prendre en charge les **textes**, plus complexes, et devenir ainsi le narrateur de l'histoire.
Les récits peuvent ensuite être relus dans leur intégralité par les élèves dès le début du CE1.

Les ouvrages de la collection sont **testés** par des enseignant(e)s et proposent trois niveaux de difficulté selon les textes des bulles : **Je déchiffre**, **Je commence à lire**, **Je lis comme un grand**.
L'enfant acquiert ainsi une autonomie progressive dans la pratique de la lecture et peut connaître la satisfaction d'avoir lu une histoire en entier...

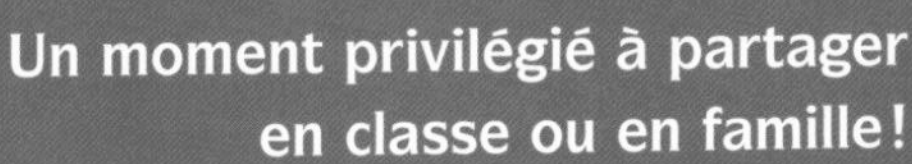

Un moment privilégié à partager en classe ou en famille !